Una visita a la estación de bomberos de

A Random House PICTUREBACK®

Una visita a la estación

por Dan Elliott • ilustrado por Joe Mathieu
traducción de Paola Bedarida Saunders
y Norma Suárez Miró

Random House/Children's Television Workshop

le bomberos de **SESAME STREET**

**Con Los Muppets
de Sesame Street de Jim Henson**

Library of Congress Cataloging in Publication Data
Elliott, Dan.   [Visit to the Sesame Street firehouse. Spanish]   Una visita a la estación de bomberos de Sesame Street / por Dan Elliott : illustrado por Joe
Mathieu : traducción de Paola Bedarida Saunders y Norma Suárez Miró.   p.   cm. — (A Random House pictureback)   "Con los muppets de Sesame Street de
Jim Henson."   Translation of A visit to the Sesame Street firehouse.   Summary: The fire chief shows the Sesame Street characters how fire fighters fight fires and
the equipment at the firehouse.   ISBN 0-679-83499-0 (pbk.)   1. Fire stations—Juvenile literature.   2. Fire extinction—Juvenile literature.   [1. Fire
departments.   2. Fire extinction.   3. Spanish language materials.]   I. Henson, Jim.   II. Mathieu, Joseph, ill.   III. Children's Television Workshop.   IV. Sesame
Street (Television program)   V. Title.   TH9148.E4418 1992   628.9'25—dc20 92-3814   Manufactured in the United States of America   10 9 8 7 6 5 4 3 2 1

Un día, Big Bird, Ernie y Grover entraron corriendo y sin aliento en la tienda de Mr. Hooper.

—¡Mr. Hooper! ¡Hay un incendio! —dijo Big Bird.

Mr. Hooper miró por la ventana. Pequeñas nubes de humo salían de una ventana en el tercer piso del edificio vacío al otro lado de la calle.

—¡Quédense aquí! —dijo Mr. Hooper—. Voy a llamar a los bomberos.

Cuando la llamada
de Mr. Hooper llegó, el
bombero encargado dió la
alarma. Todos los bomberos
que estaban en la estación
de bomberos dejaron lo
que estaban haciendo.
Unos estaban lustrando los
camiones. Otros estaban
durmiendo la siesta. La
alarma los despertó.

Los bomberos se
deslizaron por la barra
y de prisa se pusieron
la ropa especial para
combatir el fuego. Ya
estaban listos. Y listo
también estaba Hydra,
su perro.

Uno de los bomberos corrió
afuera a parar el tráfico. —¡Se
puede pasar ahora! —gritó.
Sonaron las sirenas y los
camiones de bomberos salieron
ruidosamente de la estación.

Después de unos minutos, el camión de bomberos seguido por el carro de escaleras de incendios llegó a toda velocidad a Sesame Street.

El conductor del camión de bomberos conectó una gran manguera a la boca de agua mientras tres de los bomberos entraron corriendo en el edificio. Regresaron al momento y dijeron: —¡Hay demasiado humo para poder subir! ¡Traigan la escalera extensible!

Los bomberos que estaban en el carro de escaleras de incendio subieron la escalera hasta la ventana del tercer piso.

Un bombero pronto se puso una máscara especial y un tanque de oxígeno para protegerse contra el humo y subió por la escalera. ¡Bum! Rompió el cristal de la ventana y apuntó la manguera por el hueco. El agua salió y roció el cuarto lleno de humo.

Lentamente el humo empezó a aclararse. Los otros bomberos entraron en el edificio con más mangueras. Finalmente el incendio fue apagado.

Cuando Mr. Hooper dijo que no había más peligro, Big Bird, Ernie y Grover cruzaron la calle para darles las gracias a los bomberos. Entonces Big Bird vió a un bombero que llevaba una máscara especial.

—¡Socorro! —gritó Big Bird, y corrió a esconderse detrás de Grover.

—No tengan miedo —dijo el bombero—. Esta máscara no me deja tragar demasiado humo. Y debajo de cada máscara hay un bombero amistoso. ¿Lo ven?

Se quitó la máscara y le sonrió a Big Bird. Luego se le occurió una idea. —¿Les gustaría a ti y a tus amigos visitar la estación de bomberos mañana?

¡Todos dijeron que sí al mismo tiempo!

Al día siguiente Big Bird, Ernie y Grover fueron a la estación de bomberos. El jefe de los bomberos estaba listo para mostrarles todo.

—La estación de bomberos es como nuestra segunda casa —dijo
el jefe mientras los llevaba arriba—. Nos preparamos las comidas
aquí y también las comemos aquí. Podemos leer, descansar y hasta
dormir una siesta. Por eso tenemos catres. A veces los bomberos
trabajan a todas horas sin regresar a casa.

—Pero antes que nada, cuando no estamos apagando un
incendio lo más importante es limpiar y chequear nuestro equipo.

—Los bomberos llevan ropa especial —dijo el jefe—. Nuestros pantalones de goma se abrochan a nuestras botas de manera que de un salto nos ponemos las dos cosas. Cada bombero lleva un casco, un abrigo y guantes de goma. A veces tenemos que llevar uniforme a prueba de incendio para salvar a las personas. Si hay mucho humo, traemos un tanque y una máscara de oxígeno por si acaso los necesitemos para respirar.

—¡Ah, yo vi uno de esos ayer! —dijo Big Bird.

El jefe dejó a Ernie probarse uno de sus uniformes.

—¡Soy un astronauta! —dijo Ernie.

—Tienes razón, Ernie —dijo el jefe.

—Tres de ustedes pueden caber en ese uniforme.

Todos se rieron.

Luego el jefe les mostró un gran rollo de manguera.

—Cada camión lleva una manguera para apagar incendios.
Secciones de manguera están atornilladas para formar una
manguera muy larga. ¡Nuestro camión tiene una manguera que
mide más de cinco cuadras! Cuando está llena de agua pesa tanto
que no se puede doblar.

—Usamos un hacha para romper con fuerza las ventanas o para derribar las puertas así se puede salvar a la gente atrapada adentro.

—Los bomberos necesitan mucho equipo especial para ayudarles a combatir incendios —dijo el jefe—. Se usan ganchos o barras con puntas para derribar los techos, tumbar las paredes y abrir las ventanas con fuerza para dejar salir el calor y el humo.

—Podemos llegar a
un incendio por la parte
de afuera de un edificio,
usando la escalera.
Algunas escaleras
pueden llegar hasta el
piso trece de un edificio.
Del camión, suben de
repente como un muñeco
sorpresa.

—¿Es el agua lo único que se usa para apagar un incendio?
—preguntó Ernie.

—No —dijo el jefe—. El agua no puede apagar la gasolina.
Debemos usar una espuma hecha con productos químicos. Se
instala un lanza-espuma especial en el techo de un camión con
bomba, para lanzar la espuma hacia el incendio.

—Muchas veces el vapor
es la mejor manera de
apagar un incendio —continuó
el jefe—. Sólo con dar vuelta
al rociador de la manguera,
un bombero puede dejar
salir un vapor muy fino que
parece neblina. Este puede
penetrar las llamas y el
humo.

—Aquí está el carro de escaleras de incendio, que es nuestro camión más largo. Es tan largo que dos personas tienen que manejarlo: el conductor adelante y su ayudante atrás. El ayudante guía las ruedas traseras para que el camión pueda doblar las esquinas.

Big Bird se puso atrás del volante trasero.

—¡Miren amigos, soy el pájaro ayudante! —gritó.

—¿Por qué tienen ustedes tantos camiones? —preguntó Grover.

—Cada uno de ellos tiene una función especial —dijo el jefe—. Los camiones bomba son los que llevan las mangueras. Son los primeros que llegan al incendio. Los bomberos que van allí usan una manguera corta y gruesa para conectar la boca de agua con la manguera en el camión.

—El camión de emergencia va a cualquier sitio donde haya un gran incendio. También se despacha para salvar a la gente en peligro. Lleva muchas herramientas y equipo especiales. En general, la ambulancia lo sigue y lleva equipo de socorro para los heridos. Además, puede llevar a las personas al hospital.

—Mi primo Fred vive en el campo y no hay boca de agua cerca de su casa. ¿Qué pasaría si su casa o su granero cogieran fuego? —preguntó Ernie.

—Es una buena pregunta —dijo el jefe.

—Cuando hay un incendio en el campo, los bomberos usan un camión especial que se llama tanque de bombero. Éste lleva su propia reserva de agua en un enorme tanque. Los bomberos también pueden usar el agua de estanques, arroyos, lagos, y hasta el agua de las piscinas.

—¿Y si acaso hay un encendio en un buque? —preguntó
Ernie.

—Entonces se usa un barco especial para apagar incendios
en los buques, los muelles, y en los edificios a orillas del agua.
En este barco especial se llenan las mangueras sacando el agua
directamente del río o de la bahía.

Grover tenía también una pregunta.

—¿Cómo se pueden apagar los incendios en los bosques?

—Los apagamos desde el terreno mismo con pequeños camiones especiales para los bosques. Éstos llevan su propio tanque, bomba y manguera de agua.

—¡Además apagamos
incendios en los bosques desde
el cielo!

—¿Quiere decir que los
bomberos pueden *volar*? —dijo
Big Bird.

El jefe se rió. —No, pero
los *aviones* pueden hacerlo.
Volamos muy bajo en aviones
o en helicópteros y rociamos
agua y productos químicos
para extinguir el incendio.

—¡Ay caramba, por cierto que uno tiene que saber mucho para ser bombero! —dijo Big Bird.

—¡Y uno tiene que ser muy fuerte! —dijo Grover.

—¿Podría yo hacerme bombero cuando sea mayor? —preguntó Ernie.

—Si puedes aprobar el examen —dijo el jefe—. Mientras tanto hay muchas cosas que pueden hacer para *prevenir* los incendios.

—Cada casa debe tener un detector de humo. Si un incendio empieza cuando están dormidos, la alarma suena y los despierta así pueden escapar y llamar a los bomberos.

—¡No jueguen nunca con fósforos! ¡NUNCA! ¡Y no toquen las llaves de la estufa!

—¡No jueguen cerca de las estufas eléctricas! ¡Pídanles a sus padres que escriban el número de teléfono de emergencia de la estación de bomberos cerca de donde ustedes viven. Y péguenlo en la pared cerca del teléfono!

—¡Eso es lo que hizo Mr. Hooper! —dijo Ernie.

Finalmente llegó la hora de volver a casa. Ernie, Grover y Big Bird le dieron las gracias al jefe.

—Le contaré a Bert todo lo que vi en la estación de bomberos —dijo Ernie.

—Y yo le diré a Snuffy todo acerca de la manguera. Se parece un poco a su trompa —dijo Big Bird.

—¡Le diré TODO a mi mamá! —dijo Grover.

Entonces le dieron la mano al jefe. Hydra quiso hacerlo también. Todos dijeron adiós con la mano.